Alberto Vargas

Benedikt Taschen

First American Model, 1917

Umschlagvorderseite/Front Cover/Couverture
Red Queen, 1954

Frontispiz/Frontispiece/Frontispice
Scheherazade, Marie Prévost, 1921

Rückseite/Back Cover/Au Dos
Ziegfeld Girl, 1923

Originalausgabe
© 1990 Benedikt Taschen Verlag Berlin GmbH, Otto-Suhr-Allee 59, 1000 Berlin 10
© Copyright VARGAS, „VARGAS“, a California partnership, owns copyright ©
in all the images and works by Alberto Vargas.
„VARGAS“, a California proprietorship, owns all trademark rights
and holds a U.S. trademark registration for the name of „VARGAS“.
Redaktion: Gaby Falk, Köln
Umschlaggestaltung: Peter Feierabend, Berlin
Fotos: Jay Silverman, Hollywood
Deutsche Übersetzung: Beate Gorman, Marl
Traduction française: Anne Lellis, Much
Satz: Utesch Satztechnik GmbH, Hamburg
Printed in Germany
ISBN 3-89450-063-8

Inhalt · Contents · Sommaire

Alberto Vargas
(1896–1982)

Alberto Vargas, 1913, Genf, Geneva, Genève

von Astrid Rossana Conte
(Vargas' Großnichte)

by Astrid Rossana Conte
(great-niece of Vargas)

par Astrid Rossana Conte
(petite-nièce de Vargas)

»Eines Tages werde ich ein Vargas Girl malen, das so schön, so perfekt, so typisch für das ›American Girl‹ ist, daß ich es jedermann überall auf der Welt zeigen kann, unsigniert, und alle werden sagen: Das ist ein Vargas Girl!«

Vargas. Für viele ist dieser Name gleichbedeutend mit weiblicher Sinnlichkeit; ein Oberbegriff, der eindeutig für den Stil, den Charme und die Schönheit der Amerikanerin steht. Über einen Zeitraum von sechseinhalb Jahrzehnten mit wechselnden Idealen, angefangen beim Ziegfeld Girl der 20er bis zum Playboy Bunny der 70er Jahre, hat das Vargas Girl die Phantasien Amerikas und der ganzen Welt beflügelt.

Der 1982 verstorbene Vargas, geboren als Alberto Vargas y Chavez in Perus zweitgrößter Stadt Arequipa, ist noch immer berühmt für seine surrealistischen Frauenporträts. Wenn er heute noch lebte, würde er jedoch zweifellos behaupten, daß er Frauen immer realistisch gemalt hat, so, wie er sie tatsächlich sah.

Vargas erbte sein Auge für die Schönheit von seinem Vater Max, einem berühmten Fotografen mit Studios in Arequipa und der bolivianischen Hauptstadt La Paz. Seine Porträts waren ebenso populär wie seine Landschaftsfotos. 1911 gewannen Max Vargas' Fotostudien der Inkaruinen von Cuzco eine Goldmedaille in Paris. Dies war eine große Ehre. Alberto, Erstgeborener von sechs Kindern, wuchs in der sicheren Annahme auf, daß er das Geschäft des Vaters übernehmen werde.

Schon als Kind war Alberto kreativ. Vom siebten bis zum vierzehnten Lebensjahr malte er eine Vielzahl von erstaunlich vollendeten Karikaturen. Es folgte dann eine Zeit, in der er sein Hauptaugenmerk Landschaftsbildern und Porträts widmete, immer in dem Bemühen, seinen eigenen Weg zu gehen. Er war besessen von dem Wunsch, größtmögliche Perfektion zu erreichen.

Das Schicksal kam zu Hilfe, als Vargas' Mutter Margarita beschloß, Alberto und

Anna Mae Clift, 1921, 13″ × 18″

"One day I will paint a Vargas Girl so beautiful, so perfect, so typical of the American Girl, that I shall be able to show it to people anywhere in the world, without any signature on it, and they'll say: that's a Vargas Girl!"

Vargas. To many, the name of Vargas is synonymous with female sensuality, a generic term that unambiguously stands for the style, grace and beauty of the American woman. Spanning six and a half decades of changing ideals, from the Ziegfeld Girl of the 20s to the Playboy Bunny of the 70s, the Vargas Girl has captivated the fantasies of America and the whole world.

The late Alberto Vargas, born Joaquin Alberto Vargas y Chavez in Peru's second largest city, Arequipa, is still famous for his surreal portraits of women. If he were alive today, though, he would no doubt argue that he always painted women realistically, the way he actually saw them.

«Un jour, je peindrai une jeune femme à la Vargas si belle, si parfaite, si typiquement américaine, que je pourrai la montrer n'importe où dans le monde entier sans la signer et que les gens diront: c'est une Vargas Girl!»

Vargas. Pour beaucoup, le nom de Vargas est synonyme de sensualité féminine, un terme générique qui désigne sans ambiguïté le style, la grâce et la beauté de la femme américaine. Embrassant 65 ans d'idéaux changeants, de la «Ziegfeld Girl» des années 20 au Bunny de Playboy des années 70, la jeune femme de Vargas a captivé les imaginations en Amérique et dans le monde entier.

Mort en 1982, Alberto Vargas, né Joaquin Alberto Vargas y Chavez à Arequipa, la seconde ville du Pérou, est toujours célèbre pour ses portraits surréalistes de femmes. Cependant, s'il vivait encore, il soutiendrait sans doute qu'il a toujours peint les femmes de manière réaliste, telles qu'il les voyait réellement.

C'est de son père Max, qui était un célèbre photographe en Amérique du Sud et possédait des studios à Arequipa et dans la capitale bolivienne, La Paz, que Vargas hérita son coup d'œil pour la beauté. Ses portraits étaient populaires, de même que ses paysages; en 1911, les études photographiques de Max Vargas consacrées aux ruines incas de Cuzco lui valurent une médaille d'or à Paris. C'était un véritable honneur. Alberto, l'aîné de six enfants, fut élevé dans la certitude qu'il reprendrait les affaires de son père dès qu'il en aurait l'âge.

Durant son enfance, Alberto Vargas s'aventura tôt dans son art créatif. De sept ans à quatorze ans environ, il réalisa un grand nombre de caricatures étonnamment parfaites. Il s'ensuivit une période durant laquelle Alberto se consacra avec passion aux paysages et aux portraits en s'efforçant une fois encore de faire son chemin dans le domaine choisi. Il était possédé du désir d'atteindre la perfection absolue.

Un Message Du Front, 1918
Feder/Pen/Plume

Feder/Tusche, 1917
Pen/Ink, Plume/Encre de Chine

Vargas came by his eye for beauty through his father Max, who was a famous photographer in South America, with studios in Arequipa and in the Bolivian capital, La Paz. His portraits were popular, and so were his landscapes; in 1911 Max Vargas' photographic studies of the Inca ruins at Cuzco won a gold medal in Paris. This was quite an honor. And as one can imagine, Alberto Vargas, the first-born son of six children, was brought up on the certain assumption that he would take over his father's business.

As a child, Alberto Vargas ventured early into his creative art. From the age of seven to nearly fourteen, he produced a large number of surprisingly accomplished caricatures. There followed a period in which Alberto devoted his efforts to landscapes and portraits, again in an effort to make his own way in his chosen field. He was possessed of the desire to achieve the utmost perfection.

Fate took over and gave him a helping hand when Vargas's mother, Margarita, decided she wanted Alberto and his brother Max to study in Europe. They accompanied their father when he travelled there to receive his gold medal. At the age of fourteen, Alberto's formal education began in the Swiss city of Zurich. He was to study languages and photography and his brother banking.

Once in Europe, Alberto was mesmerized by the art galleries and museums. He would look at world-famous paintings for hours on end, and this gave him his refined eye for the human physique. This was the only "training" he ever received. In the Louvre in Paris he was transfixed for hours by the work of French painters such as Ingres, and it was there that he decided he would rather be a painter than a photographer. On his own, Alberto constantly practiced drawing the human body as a change from his school studies. One reason for his lack of interest in formal art classes was the ease with which he

seinen Bruder Max in Europa zur Schule gehen zu lassen. Sie begleiteten ihren Vater, als dieser nach Frankreich reiste, um seine Goldmedaille in Empfang zu nehmen. Im Alter von vierzehn Jahren begann dann Albertos schulische Erziehung in Zürich in der Schweiz. Er sollte Sprachen und Fotografie studieren, sein Bruder Bankwesen.

In Europa angekommen, war Alberto von den Kunstgalerien und Museen fasziniert. Stundenlang betrachtete er weltberühmte Gemälde und schulte auf diese Weise sein Auge für den menschlichen Körper. Dies war die einzige »Ausbildung«, die er auf dem Gebiet der Malerei je erhielt. Im Louvre von Paris stand er stundenlang wie erstarrt vor den Arbeiten französischer Maler wie z. B. Ingres, und dort beschloß er, Maler zu werden statt Fotograf. In seiner Freizeit übte sich Al-

Le destin prit la relève et lui tendit une main secourable lorsque sa mère, Margarita, décida qu'Alberto et son frère Max iraient faire leurs études en Europe. Ils accompagnèrent leur père lorsque celui-ci s'y rendit pour recevoir sa médaille d'or. L'éducation formelle d'Alberto commença dans la ville suisse de Zurich alors qu'il avait quatorze ans. Il devait étudier les langues et la photographie, son frère les affaires bancaires.

Une fois en Europe, Alberto fut hypnotisé par les galeries et les musées d'art. Il regardait des tableaux célèbres dans le monde entier durant des heures, et c'est ainsi qu'il acquit son coup d'œil pour la structure parfaite du corps humain. Ce fut le seul «enseignement» artistique qu'il eût jamais reçu. Au Louvre, à Paris, il passa des heures devant les œuvres de peintres français comme Ingres, et ce fut là qu'il

berto im Aktzeichnen, auch um eine Abwechslung vom Schulunterricht zu haben. Sein Interesse am schulischen Kunstunterricht war jedoch, bedingt durch die Leichtigkeit, mit der er zeichnen konnte, sehr gering. Nach der Schule sollte er eine Lehre in den Julien Studios in Genf beginnen und anschließend nach England gehen, um dort seine Ausbildung bei den Sarony Court Photographers in London zu beenden.

Aber im Jahr 1916 veranlaßte der Verlauf des Ersten Weltkriegs Alberto, seine Ausbildung zu unterbrechen und Europa zu verlassen. Er beabsichtigte, nach Peru zurückzukehren. In New York City sollte er einen längeren Zwischenaufenthalt haben. An einem herrlichen Sommertag spazierte er durch die Stadt, die Glocken läuteten zu Mittag, und er verliebte sich auf der Stelle in das »American Girl«. Bis zu seinem Todestag glaubte Alberto, daß Amerikanerinnen die schönsten Frauen der Welt seien. »Plötzlich öffneten sich die Türen und diese Mädchen strömten heraus. Mein Gott, so viele wunderschöne Mädchen. Auf der Stelle wußte ich, daß ich bleiben mußte.«

Der Gedanke an eine Fortsetzung der Reise trat immer mehr in den Hintergrund, New York hielt ihn gefangen. Hier war das Land der unbegrenzten Möglichkeiten – seiner Möglichkeiten. Diesem Land schwor er die Treue, und es gewährte ihm völlige Anerkennung mit der amerikanischen Staatsbürgerschaft.

Vargas' Timing war perfekt. Die künstlerische Umgebung war belebend, schnellebig und aufregend. Die Welt befand sich mitten im Jazz Age. Flappers (Mädchen, die sich in Verhalten und Kleidung über die Konventionen hinwegsetzten) und Art Deco waren der letzte Schrei. Alberto arbeitete viel. So retuschierte er Negative, zeichnete Hüte, um seinen Lebensunterhalt zu verdienen. Langsam entwickelten sich seine einzigartigen Fähigkeiten für die Aquarellmalerei, für Öl und Pastell. Er war sich sicher,

Feder/Tusche, 1915
Pen/Ink, Plume/Encre de Chine

found he could draw. Alberto was to serve an apprenticeship with the Julien Studios in Geneva before moving to England to finish his education at the Sarony Court Photographers in London.

But in 1916, the course of the First World War prompted him to interrupt his education, and he fled Europe. Planning to return to Peru, he was held over in New York City waiting for a ship to take him home. He took a walk through the city on a glorious summer day with the bells tolling for noon and he fell in love immediately with the American Girl. Alberto believed until the very day he died that American women were the most beautiful in the world. "All of a sudden the doors opened and out poured these girls. Oh my gosh, so many beautiful girls. So right then and there I decided I had to stay."

décida qu'il serait peintre plutôt que photographe. De sa propre initiative, Alberto dessinait constamment le corps humain pour se distraire de ses études. L'une des raisons de son manque d'intérêt pour les classes d'art formelles était qu'il avait découvert la facilité avec laquelle il pouvait déjà dessiner.

Alberto envisageait un apprentissage aux Studios Julien à Genève pour ensuite terminer sa formation chez Sarony Court Photographers à Londres. Mais en 1916, la Première Guerre mondiale le poussa à interrompre sa formation, et il s'enfuit d'Europe. Alors qu'il avait l'intention de retourner au Pérou, il fut retenu à New York City pour quelque temps. Il se promena à travers la ville par un radieux jour d'été au moment où les cloches sonnaient midi et tomba immédiatement amoureux de la jeune femme américaine «American Girl». Jusqu'au jour même de sa mort, Alberto crut que les femmes américaines étaient les plus belles du monde. «Soudain les portes s'ouvrirent et une foule de jeunes femmes s'échappa. Sapristi! tant de belles jeunes femmes. Bon, et c'est alors que j'ai décidé que je devais rester.»

La main du destin le retint solidement à la vue de New York et il ne pensa plus à poursuivre son voyage. Le pays de l'opportunité – de son opportunité – était là. C'était le pays auquel il jura fidélité et qui lui accorda son entière reconnaissance en 1939, lorsque la nationalité américaine lui fut accordée.

Vargas était arrivé au bon moment. L'environnement artistique était vivifiant, rapide et excitant. C'était l'Age du Jazz, et les «flappers», jeunes femmes typiques des années 20, et l'Art déco étaient en vogue. Alberto travaillait dur, retouchant des négatifs et dessinant des chapeaux pour gagner sa vie. Il était en train de développer son incomparable habileté à manier l'aquarelle, la peinture à l'huile et le pastel. Il savait cependant, malgré ses doutes bien fondés et sans tenir compte

P. 10–11: *Feline Entre-Act,* 1919

daß er trotz aller Schwierigkeiten eines Tages ein großer Künstler sein würde.

In den ersten beiden Jahren in seinem Adoptivland konnte er ein erstes Bild als freischaffender Künstler verkaufen und – er lernte seine zukünftige Frau kennen. Er sah Anna Mae Clift eine belebte New Yorker Straße entlangschlendern und folgte ihr, bis sich die Gelegenheit ergab, sich ihr vorzustellen. »Als sie die Szene betrat, wußte ich, daß hier etwas war, was ich noch nie zuvor gesehen hatte. Sie hatte naturrotes Haar und die blassesten blauen Augen, die man sich vorstellen kann. Es gab viele Mädchen aus dem Süden in New York City, aber keine war wie sie.« Anna Mae war aus dem ländlichen Soddy, Tennessee, nach New York gezogen. Eine schöne Frau, deren Intelligenz ihrer Schönheit in nichts nachstand, wurde sie bald zu einem beliebten Tanzstar in den Greenwich »Follies«, einem New Yorker Theater.

Etwa um dieselbe Zeit konnte Alberto mit seinen Arbeiten die Aufmerksamkeit von Verlegern in ganz Amerika gewin-

The hand of Fate held him fast at the spectacle of New York, and thoughts of continuing his journey faded away. Here was the land of opportunity – his opportunity. It was the land to which he pledged allegiance and which accorded him the full measure of recognition in 1939 when he received his American citizenship.

Vargas's timing was perfect. The artistic environment was invigorating, fast-paced and exciting. It was the Jazz Age, and flappers and art deco were the vogue. Alberto worked hard, retouching negatives and drawing hats for a living. He was developing his unique skill in water-color, oil and pastels. However, he knew beyond any reasonable doubt and regardless of his struggles that one day he was going to be a great artist.

Within his first two years in his adopted country he made his first freelance sale and met his wife to be. He noticed Anna Mae Clift walking down a crowded New York Street at lunch time and followed her till he could introduce himself. "When

de la lutte qu'il menait, qu'il serait un jour un grand artiste.

Au cours des deux premières années qu'il passa dans son pays d'adoption, il organisa sa première vente indépendante et – il rencontra celle qui allait devenir son épouse. Il remarqua Anna Mae Clift alors qu'elle descendait une rue bondée de New York à l'heure du déjeuner, et la suivit jusqu'à ce qu'il puisse se présenter.

«Lorsqu'elle est entrée en scène, j'ai su que c'était quelque chose que je n'avais jamais vu auparavant. Elle avait des cheveux d'un roux naturel et les yeux du bleu le plus clair que vous puissiez imaginer. Il y avait beaucoup de filles du sud à New York City, mais aucune comme elle.» Anna Mae était venue de la commune rurale de Soddy dans le Tennessee, à New York. C'était une jeune fille remarquablement belle et intelligente, qui devint l'une des show girls favorites des Greenwich «Follies», un théâtre à New York.

A cette époque-là, le travail d'Alberto commença à attirer l'attention des éditeurs dans toute l'Amérique; il se mit à

Lila Lee or *Yellow Canary*
Aquarell, Watercolor, Aquarelle, 1922

Aquarell, Watercolor, Aquarelle, 1920

Öl, Oil, Huile, 1920

she appeared on the scene, I knew there was something I had never seen before. She had natural red hair, and the palest blue eyes that you can think of. There were many southern girls in New York, but not one like her." Anna Mae had come to New York from rural Soddy, Tennessee. A remarkably beautiful girl, with the intelligence to match, she became a favored show girl in the Greenwich Follies, a New York theatre.

Around this time, Alberto's work was beginning to attract the attention of publishers all over America; he began to paint for several New York-based newspapers and magazines. Alberto's first big break came in 1919 when he was given a full-time contract by the famous Florence Ziegfeld, owner of the "Follies". Alberto Vargas became famous for "glorifying the American Girl on canvas" – just as Ziegfeld glorified the American Girl on stage.

Alberto Vargas was made. A simple handshake sealed his career. For nearly ten years he was the official portrait painter of the Ziegfeld court, and he credited the master showman with having taught him "the delicate borderline between a nude picture and a wonderful portrait with style and class."

As far back as the 1920s, Alberto prophesied what the modern American Woman would look like. She would be taller, slimmer and stronger, with the beauty of classical Greece. She would be about 5' 7", weigh approximately 124 pounds, have a bust of 37", waist of 24" and hips of 36". This description is familiar now: it is the ideal of Woman in the 80s and 90s. He also thought her attitude would be sexier and, alas, her feet would be bigger. This seems to ring true again! Alberto also felt that, because women outnumbered men, these females of the future would be more aggressive in their pursuit of males.

The year was 1930. Alberto couldn't believe his luck. It was a fairy tale come true: the woman he had put on the highest

nen. Er begann für mehrere Zeitungen und Zeitschriften mit Sitz in New York zu arbeiten. Sein erster großer Durchbruch gelang ihm 1919, als er einen Vollzeitvertrag von dem berühmten Florence Ziegfeld erhielt, dem Leiter der »Follies«. Vargas wurde berühmt für die »Glorifizierung des ›American Girl‹ auf der Leinwand« – ähnlich wie Ziegfeld das »American Girl« auf der Bühne glorifizierte.

Alberto Vargas war ein gemachter Mann. Ein einfacher Händedruck besiegelte seine Karriere. Fast zehn Jahre lang blieb er der offizielle Porträtmaler am

peindre pour de nombreux journaux et magazines new-yorkais. La première grande percée d'Alberto eut lieu en 1919 lorsqu'il obtint un contrat à temps complet chez le célèbre Florence Ziegfeld, propriétaire des «Follies». Alberto Vargas devint célèbre pour sa «glorification de la jeune femme américaine sur la toile» – de la même manière que Ziegfeld représentait la glorification de la jeune femme américaine sur scène.

Alberto Vargas était un homme arrivé. Une simple poignée de main scella sa carrière. Il fut le portraitiste officiel de la cour de Ziegfeld pendant presque dix ans et reconnut que le metteur en scène lui avait enseigné «la délicate nuance entre un nu et un magnifique portrait ayant du style et de la classe».

Dès les années 20, Alberto prédit à quoi ressemblerait la femme américaine moderne. Elle serait plus grande, plus mince et plus forte, avec la beauté de la Grèce classique. Elle mesurerait env. 1 m 70, pèserait à peu près 56 kg, aurait un tour de poitrine de 94 cm, un tour de taille de 60 cm et un tour de hanches de 92 cm. Cette description est maintenant familière: il s'agit de l'idéal de la Femme des années 80 et 90. Il pensait également que son attitude serait plus sexy et, hélas, ses pieds plus grands. Cela semble à nouveau très vraisemblable! Alberto sentait aussi que, parce que les femmes seront plus nombreuses que les hommes, ces femelles du futur seraient plus agressives dans leur quête du mâle.

C'était en 1930. Alberto ne pouvait croire à sa chance. Un conte de fées se réalisait: la femme qu'il avait placée sur le piédestal le plus haut, sa meilleure amie, était maintenant son épouse. Anna Mae fut la toute première Vargas Girl. En réalité, il y avait toujours quelque chose d'Anna dans les portraits qu'il peignait.

En 1934, Winfield Sheehan, alors directeur des Studios Fox Movie, amena le couple Vargas à Hollywood pour faire peindre des portraits à l'aquarelle de

»Ziegfeld-Hof«. Er verdankte dem Leiter der »Follies«, ihn »die feine Grenze zwischen einem Akt und einem wunderbaren Porträt mit Stil und Klasse« gelehrt zu haben.

Schon in den 20er Jahren prophezeite Alberto, wie die heutige Amerikanerin aussehen würde. Sie würde größer, schlanker und stärker sein, mit der Schönheit des klassischen Griechenlands – etwa 1 Meter 70 groß, etwa 56 kg schwer, mit einer Oberweite von 94 cm, einer Taille von 60 cm und einer Hüftweite von 92 cm. Diese Beschreibung kommt uns heute bekannt vor: Es ist das Ideal der Frau der 80er und 90er Jahre. Er glaubte auch, daß ihre Einstellung zum Sex freier sein werde und ihre Füße – leider – größer. (Auch das scheint sich zu bewahrheiten!) Alberto war auch der Überzeugung, daß die Frau der Zukunft bei ihrer Jagd auf den Mann aggressiver sein werde, weil die Frauen den Männern zahlenmäßig überlegen sein würden.

Wir schreiben das Jahr 1930, und Alberto konnte sein Glück kaum fassen. Ein Märchen war wahr geworden: Die Frau, die er auf das höchste Podest gehoben hatte, seine allerbeste Freundin, war jetzt seine Frau. Anna Mae stand bei den Vargas Girls an allererster Stelle. Tatsächlich hatten all seine Porträts immer etwas von Anna.

Im Jahr 1934 brachte Winfield Sheehan, der Direktor der Fox Movie Studios, das Paar nach Hollywood, wo Alberto Porträts aller großen Stars, auch der männlichen, malen sollte. Neben mehreren Bildern von dem kleinen Starlet Shirley Temple malte er auch Porträts anderer großer Kinoattraktionen, wie der reizenden Alice Faye. Er entwarf Szenenaufbauten für die Filme aller großen Studios, anfangs vorwiegend für Warner Brothers. Seinen wohl besten Entwurf machte er für den Warner-Film *Juarez* im Jahr 1938 – aber auch die Szenenbilder für *The Hunchback of Notre Dame* (Der Glöckner von Notre Dame) und *Elizabeth and*

pedestal, his very best friend, was now his wife. Anna Mae became the very first Vargas Girl. In reality, whoever he painted, there was always something of Anna in the portrait.

In 1934 Winfield Sheehan, then head of Fox Movie Studios, brought the Vargas couple to Hollywood to paint pastel portraits of all the major stars, men too. Alberto did a number of the little starlet Shirley Temple, along with portraits of other major box office attractions such as the lovely Alice Faye. He also designed motion picture sets for all the principal studios, but primarily for Warner Brothers in the beginning. His best set design was for Warner's *Juarez* in 1938 – though *The Hunchback of Notre Dame* and *Elizabeth and Essex* were also great sets. It would be next to impossible to list Alberto's many and various jobs at the different studios at that period.

Alberto's art work in the early 30s ranged from an 'Imogene Wilson Fantasy' (about 1930), an 'Art Deco Marlene Dietrich' painted for the Paramount Studios yearbook in 1931 and a sultry Barbara Stanwyck poster for Warner Brothers in 1933, to Vitaphone Pictures' 'Ladies They Talk About' (also 1933) and a 1935 'Greta Garbo Image' – simply a portrait of her head, crowned with gold and without eyes, which symbolizes the enigma of Garbo. Later, when Alberto moved to Paramount, he painted the glamorous Hollywood queens: Dorothy Lamour, Paulette Goddard and Hedy Lamarr, to name but a few.

However, in 1939 he returned east with his wife and was persuaded to publish his girls in *Esquire* magazine under the name of "Varga". Alberto's biggest accolade came with the world-wide acclaim those pages brought him. His first 1940 Vargas Girl was an unprecedented success and led to many wonders, including a portrait of Betty Grable for the movie *Moon over Miami* which became the ultimate pin-up image of 1941. Around this same period,

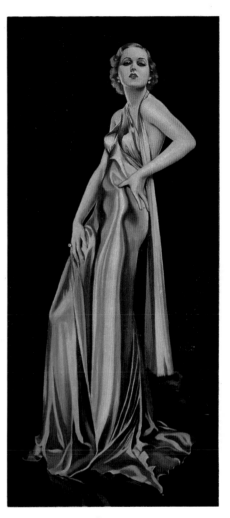

Anna Mae Clift, 1920, Öl, Oil, Huile

toutes les grandes stars, y compris les hommes. Alberto en fit un grand nombre de la petite starlette Shirley Temple, ainsi que des portraits d'autres grandes attractions populaires comme la jolie Alice Faye. Il conçut également des décors de cinéma pour tous les grands studios, au début surtout pour Warner Brothers. Son meilleur décor fut celui de *Juarez* pour Warner en 1938 – bien que *Notre-Dame de Paris* et *Elizabeth and Essex* eussent également été de grands décors. Il serait presque impossible d'énumérer les travaux nombreux et variés effectués à cette

Sultan's Favorite
Aquarell, Watercolor, Aquarelle 1916

Essex waren großartig. Es ist praktisch unmöglich, all die vielen und unterschiedlichen Jobs bei den verschiedenen Studios aufzulisten.

Albertos künstlerische Arbeiten zu Beginn der 30er Jahre reichen von der ›Imogene Wilson Fantasy‹ (ca. 1930), der ›Art Deco Marlene Dietrich‹, die er 1931 für das Jahrbuch der Paramount Studios malte und einem erotischen Barbara Stanwyck-Poster für Warner Brothers im Jahr 1933 bis zu ›Vitaphone Pictures‹, ›Ladies They Talk About‹ (ebenfalls 1933) und dem ›Greta Garbo Image‹ (1935), einem Porträt ihres Kopfes, von Gold gekrönt, ohne Augen, das Geheimnis der Garbo symbolisierend. Später, als Alberto für Paramount arbeitete, porträtierte er die glamourösen Königinnen Hollywoods: Dorothy Lamour, Paulette Goddard und Hedy Lamarr, um nur einige zu nennen.

twelve of Alberto's titillating Esquire Calendar showgirls came to life in a lavish Metro-Goldwyn-Mayer technicolor comedy, *DuBarry Was A Lady*. After Pearl Harbor, the American GIs took the Vargas Girls literally all over the world. In his book *Vintage Aircraft Nose Art, Ready for Duty,* Gary M. Valant has a Vargas Girls section which shows some of the photographs of Vargas artwork from *Esquire* magazine during the Second World War.

One thing for which Alberto Vargas is most remembered is that at the height of his career, during the War in 1944, he was so popular that the United States Army was flying him around for appearances at bombardment school. Vargas was creating glamorous mascots for any military unit that asked, and thus the GIs' morale – and that of the whole

époque par Alberto dans les différents studios.

Au début des années 30, l'œuvre artistique d'Alberto alla de «Imogene Wilson Fantasy» (vers 1930), de «Art Deco Marlene Dietrich», peinte pour l'almanach des Studios Paramount en 1931 et d'un poster sensuel de Barbara Stanwyck pour Warner Brothers en 1933, à *Ladies They Talk About* (Des femmes dont on parle) de Vitaphone Pictures (également en 1933) et à *Greta Garbo Image*, – un simple portrait de sa tête couronnée d'or et dépourvue d'yeux, qui symbolise l'énigme représentée par Greta Garbo, en 1935. Plus tard, lorsqu'Alberto alla chez Paramount, il peignit les prestigieuses reines d'Hollywood: Dorothy Lamour, Paulette Goddard et Hedy Lamarr, pour n'en citer que quelques-unes.

Il retourna cependant à l'est avec son épouse en 1939, persuadé de publier ses peintures de jeunes femmes dans le magazine *Esquire* sous le nom «Varga». La plus grande réussite d'Alberto vint avec les acclamations que lui valurent ces pages dans le monde entier. Sa première Varga Girl de 1940 fut un succès sans précédent et engendra de nombreux miracles, y compris un portrait de Betty Grable pour le film *Moon over Miami* (Lune sur Miami), qui devint l'image absolue de la pin-up de 1941. A la même époque, douze des titillantes showgirls d'Alberto publiées dans le Calendrier d'*Esquire* furent les personnages d'une folle comédie en Technicolor de la Metro-Goldwyn-Mayer, *DuBarry Was A Lady* (DuBarry était une dame).

Après Pearl Harbour, les GIs américains emmenèrent littéralement les Vargas-girls dans le monde entier. Dans son livre *Vintage Aircraft Nose Art, Ready for Duty,* Gary M. Valant a consacré un chapitre aux jeunes femmes de Vargas et montre quelques-unes des photographies de son œuvre artistique issues du magazine *Esquire* et réalisées durant la Seconde Guerre mondiale.

1939 kehrte er dann mit seiner Frau in den Osten der USA zurück. Man bewegte ihn dazu, seine Mädchen in der Zeitschrift *Esquire* unter dem Namen »Varga« zu veröffentlichen. Größte Anerkennung und weltweiter Ruhm waren die Folge. Sein erstes Varga Girl im Jahr 1940 wurde ein nie dagewesener Erfolg und führte zu vielen weiteren, wunderbaren Bildern, unter anderem zu einem Porträt von Betty Grable für den Film *Moon over Miami*, das 1941 das Pin-up schlechthin wurde. Etwa um die gleiche Zeit wurden zwölf von Albertos prickelnden Showgirls aus dem *Esquire*-Kalender in einer verschwenderisch ausgestatteten Technicolor-Komödie von Metro-Goldwyn-Mayer zum Leben erweckt: *DuBarry Was A Lady.*

Nach dem Überfall auf Pearl Harbour am 17. 12. 1941 verbreiteten die amerikanischen GIs die Varga Girls auf der ganzen Welt. Das Buch *Vintage Aircraft Nose Art. Ready for Duty* von Gary M. Valant enthält einen Teil der Illustrationen für die Zeitschrift *Esquire* während des Zweiten Weltkriegs. Bekannt war Vargas auch dafür, daß er im Kriegsjahr 1944 auf der Höhe seiner Karriere von der United States Army umhergeflogen wurde, um in Militärschulen aufzutreten. Vargas kreierte bezaubernde Maskottchen für jede Militäreinheit, die ihn darum bat. Auf diese Weise erhielt die Moral der GIs – und die des ganzen Landes – Auftrieb (und das in mehr als nur einer Hinsicht).

Mit Beginn der 50er Jahre betraten noch mehr Schönheiten die Bühne, und Alberto malte sie voller Ausgelassenheit – berühmte Stars wie Jane Russell, Ava Gardner, Linda Darnell und die unvergeßliche Marilyn Monroe. Seine Leistungen wurden nun auch in seiner Heimat Peru anerkannt. Man verlieh ihm den »Sonnenorden«, eine Art Ritterwürde in diesem Land. Auch die Vereinigten Staaten erwähnten ihn lobend für seine Verdienste um das Land.

country – was being lifted (in more ways than one).

With the arrival of the 50s there were more beauties and Alberto painted them gleefully – famous stars such as Jane Russell, Ava Gardner, Linda Darnell and the unforgettable Marilyn Monroe. At this time Peru, his homeland, recognised his achievements and awarded him the medal and brevet of the Order of the Sun, a knighthood in that country. And the United States cited him for meritorious service to the country.

At this point, unfortunately, his relations with *Esquire* became strained and his association with its unpredictable president and publisher, David Smart, became enigmatic. Although Alberto became famous and his employer wealthy, due to his complacent tendency to trust others implicitly he failed financially even when his artistic achievement was at its highest. Finally Vargas sued *Esquire.* The trials and tribulations which Alberto suffered in the course of a fraud suit (which he actually won before a jury) have become a legend in courtroom annals. On an appeal against the verdict he almost lost his home and even the shirt off his back. The transcripts from those two cases could provide enough material to fill a whole novel complete with heartache, betrayal, disillusionment and despair.

To regain financial stability, Alberto turned to designing teenage apparel, perfume vials, cigarette lighters, decanters and bras. Through it all, he never abandoned his basic theme of the beautiful American Woman, the most beautiful woman of all. Torn apart by unscrupulous agents, he and Anna Mae always managed to preserve their self-respect and decency. They lived by the hard work ethic. No matter how difficult the times were, Alberto always refrained from alcohol, narcotics and affairs with other women. He was that kind of man – a gentleman. His word and his intentions were as good as gold.

Bessie Love
Aquarell, Watercolor, Aquarelle, 1919

L'une des raisons pour lesquelles on se souvient le plus de Vargas est qu'au sommet de sa carrière, durant la Guerre en 1944, il était tellement populaire que l'Armée des Etats-Unis l'emmenait partout en avion pour qu'il fasse des apparitions dans les écoles militaires. Vargas créait des mascottes prestigieuses pour chaque unité militaire qui en faisait la demande, et le moral des GIs – et celui du pays tout entier – était ainsi remonté (à plus d'un égard).

Lorsque les années 50 arrivèrent, il y eut encore davantage de beautés et Alberto les peignit allègrement – des stars célèbres comme Jane Russell, Ava Gardner, Linda Darnell et l'inoubliable Marilyn Monroe.

C'est à cette époque que le Pérou, sa patrie, reconnut son œuvre et lui attribua la médaille et le brevet de «l'Ordre du

Art Deco, 1924

Leider litten zu diesem Zeitpunkt seine Beziehungen zum *Esquire,* und seine Freundschaft zu dem unnahbaren Präsidenten und Verleger der Zeitschrift, David Smart, wurde fragwürdig. Obwohl Alberto berühmt geworden war, sein Arbeitgeber reich, hatte er nun, auf dem Höhepunkt seiner künstlerischen Karriere, finanzielle Schwierigkeiten. Denn ihm

In 1953 a former *Esquire* ad man by the name of Hugh Hefner, who had also left the magazine because of a money dispute, started *Playboy.* Three years later, the magazine began to publish Alberto's work at intervals, and in 1960 the Vargas Girl became a regular feature. In sixteen years he published 152 paintings.

Vargas let *Playboy* have more than one

Soleil», un ordre de chevalerie de ce pays. Et les Etats-Unis le citèrent pour les services méritoires rendus au pays.

A ce moment, malheureusement, ses relations avec l'*Esquire* devinrent tendues et son association avec David Smart, l'imprévisible président et propriétaire de ce dernier, devint énigmatique. Bien qu'Alberto devînt célèbre et son employeur riche, il échoua sur le plan financier, alors même que son œuvre artistique était à son apogée, en raison de sa tendance suffisante à faire confiance aux autres. Finalement, Vargas porta plainte contre le *Esquire.* Les procès et tribulations endurés par Alberto au cours d'une affaire de fraude (qu'il gagna en fait devant un jury) sont devenus une légende dans les annales des salles d'audience. Ayant fait appel contre le verdict, il faillit perdre sa maison et même sa chemise. Les transcriptions de ces deux cas pourraient fournir suffisamment de matériel pour remplir tout un roman de peines de cœur, de trahisons, de désillusions et de désespoir.

Afin de retrouver des finances stables, Alberto se tourna vers la conception de vêtements pour adolescents, de bouteilles de parfum, de briquets, de carafes, de soutiens-gorge etc. Malgré tout, il n'abandonna jamais son thème de base, la belle femme américaine, la plus belle de toutes les femmes. Déchirés par des agents sans scrupules, Anna Mae et lui réussirent toujours à préserver leur amour-propre et leur décence. Ils vivaient de la rude éthique de l'œuvre. Aussi difficiles que fussent les temps, Alberto s'abstint toujours d'alcool, de narcotiques et d'aventures avec d'autres femmes. Il était ce que l'on appelle un gentleman. Ses paroles et ses intentions valaient de l'or.

En 1953, un ancien publicitaire d'*Esquire* nommé Hugh Hefner, qui avait également quitté le magazine à cause d'une querelle d'argent, lança *Playboy.* Trois ans plus tard, le magazine commença à publier l'œuvre d'Alberto par intervalles,

wohnte die edle Neigung inne, anderen vorbehaltlos zu vertrauen. Schließlich verklagte er den *Esquire* wegen Betrugs. Die Widerwärtigkeiten, die Alberto im Verlauf dieser Gerichtsverhandlung gegen *Esquire* widerfuhren (die er schließlich in zweiter Instanz gewann), sind in den Annalen der Gerichte Legende geworden. Während des Berufungsverfahrens verlor er fast sein gesamtes Hab und Gut. Die Protokolle dieser beiden Gerichtsverhandlungen würden genug Material für einen Roman über Kummer, Verrat, Desillusion und Verzweiflung liefern.

Um seine finanzielle Situation zu verbessern, entwarf Alberto Kleidung für Teenager, Parfümfläschchen, Feuerzeuge, Karaffen, Büstenhalter etc. Bei all diesem Tun gab er nie sein Grundthema der schönen Amerikanerin auf, der schönsten Frau der Welt. Obwohl durch skrupellose Agenten ausgenutzt, bewahrten er und Anna Mae immer Selbstachtung und Anstand. Die Richtschnur ihres Handelns war harte Arbeit. Egal wie schwer die Zeiten waren, Alberto hielt sich immer von Alkohol, Drogen und Affären mit anderen Frauen fern. Er war eben ein Gentleman. Sein Wort und seine Absichten waren Gold wert.

1953 gründete ein ehemaliger Werbefachmann des *Esquire,* Hugh Hefner, der die Zeitschrift ebenfalls wegen finanzieller Streitigkeiten verlassen hatte, den *Playboy.* Drei Jahre später wurden Albertos Arbeiten im *Playboy* in zunächst unregelmäßigen Abständen veröffentlicht, ab 1960 wurde das Vargas Girl zu einem regelmäßigen Feature. Über einen Zeitraum von sechzehn Jahren veröffentlichte er 152 Bilder.

Vargas fertigte für den *Playboy* mehr als eine Illustration pro Monat, und seine Arbeiten verliehen dem eben flügge gewordenen Unternehmen einen Hauch von Tradition. Alberto war zu dieser Zeit bereits über sechzig und stellte eine Verbindung zu den unkonventionellen 20er

Robe du Après-Midi, ca. 1932

illustration per month, and his work gave the fledgling enterprise a sense of tradition. Then in his sixties, Alberto represented a link with the Bohemian Twenties. The function of his art was to reflect the loosening of sexual mores which was taking place, even though he didn't exactly approve. He always used his art to reflect the times though he always contrived

et en 1960, la jeune femme de Vargas parut régulièrement. Il publia 152 peintures en seize ans.

Vargas fournit plus d'une illustration par mois à *Playboy* et son œuvre donna a l'entreprise novice un sens de la tradition. Car dans les années 60, Alberto représentait un lien avec les années 20 bohèmes. La fonction de son art était de refléter le

The Bride
Aquarell, Watercolor, Aquarelle, 1950

Jahren dar. Vargas reflektierte mit seiner Kunst die gesellschaftlich freier werdende Sexualmoral, obwohl dieser Trend nicht unbedingt seine Zustimmung fand. Er setzte seine Kunst dazu ein, die Zeit widerzuspiegeln. Dabei bemühte er sich immer darum, die Grenzen des guten Geschmacks nicht zu überschreiten. Er war nun ein Künstler von großartigem Ruf und fraglos zu einem der besten Aquarell- und Pastellmaler geworden.

Anna Maes Tod 1974 war ein furchtbarer Schlag für Alberto. Es war, als hätte man ihn zerrissen. Anna Mae war bis zu ihrem Tod sein »American Dream Girl«. Ihre Ehe hatte 44 Jahre überdauert. Durch ihren Tod verlor Alberto das Interesse am Leben. Er begann unter starken Depressionen zu leiden.

Gegen Ende der 70er Jahre gelang es Alberto, seine depressiven Gefühle zu überwinden. Als Mitverfasser seiner Autobiographie *Vargas* (Harmony Books) stand er noch einmal im Scheinwerferlicht. Für einen großen Teil seines Publikums schien es, als ob er sich nie zurückgezogen hätte. Von überall her rief man ihn an, aus der Unterhaltungsbranche strömten Angebote herein. Alberto entwarf mehrere Covers für Schallplatten. Das erste war für das Album *Candy'o* von der Gruppe The Cars, einer New Wave-Rockband. Die Platte wurde ein Hit. Die Musik war toll – aber niemand kann bestreiten, daß der rote Ferrari mit dem Vargas Girl auf der Plattenhülle den Verkauf kräftig ankurbelte! Von Elektra Records erhielt Alberto zwei Platinschallplatten für zwei Millionen verkaufte Exemplare. Er entwarf auch zwei Plattenhüllen für Bernadette Peters, Schauspielerin, Sängerin und Broadway-Star, und unternahm eine kurze Europatournee, auf der er seine Bilder ausstellte. Kurze Zeit später starb Vargas infolge eines Schlaganfalls – sechs Wochen vor seinem 87. Geburtstag.

Über all die Jahre hinweg wurde Alberto wegen seiner schönen Mädchen aufge-

Five of Diamonds
Aquarell, Watercolor, Aquarelle, 1954

Study on Parchment
Aquarell, Watercolor, Aquarell, 1954

to remain within the bounds of good taste. By now, already an artist of great repute, he had become unquestionably the finest painter in watercolor and pastel.

Anna Mae's death in 1974 was a terrible blow to Alberto. It was as if someone had cut him in half. Anna Mae remained his American Dream Girl till the day she died. Their marriage had lasted 44 years. After her death, Alberto lost his interest in life, and for the first time ever was plunged into a deep depression.

Late in the 70s, when Alberto managed to overcome the depression and co-write his autobiography *Vargas* (published by Harmony Books), he was thrust into the limelight one more time. It seemed to much of the public as if he had never been away. People were calling him from everywhere. Offers flowed in from the en-

relâchement des mœurs sexuelles, même s'il ne l'approuvait pas vraiment. Il se servait toujours de son art pour refléter les temps plus libéraux bien qu'il trouvât toujours le moyen de rester dans les limites du bon goût. Déjà artiste de grand renom, il était incontestablement devenu un des peintres qui maniaient le mieux l'aquarelle et le pastel.

La mort d'Anna Mae, en 1974, fut un coup terrible pour Alberto. C'était comme si on l'avait coupé en deux. Anna Mae demeura sa jeune femme américaine de rêve jusqu'au jour de sa mort. Leur union avait duré 44 ans. Après sa mort, Alberto perdit le goût de vivre et sombra même dans une profonde dépression.

Vers la fin des années 70 quand Alberto réussit à surmonter sa dépression et à écrire en collaboration sa biographie *Vargas* (éditée chez Harmony Books), il fut une fois de plus poussé sous les feux de la rampe. Une grande partie du public eut l'impression qu'il n'était jamais parti. On l'appelait de partout. Les offres du monde du spectacle affluaient, de sorte qu'Alberto peignit de nombreuses pochettes de disques. Il peignit la première pour l'album *Candy'o* de The Cars, un groupe de rock nouvelle vague, et le disque remporta un succès immédiat. La musique était bonne – mais personne ne peut nier que la Girl Vargas, juchée sur la Ferrari rouge de la pochette facilitait la vente! Elektra Record remit deux disques de platine à Alberto pour marquer les deux millions de *Candy'o* vendus. Il créa également deux pochettes d'albums pour Bernadette Peters, actrice, chanteuse et star de Broadway, et fit un bref tour d'Europe, au cours duquel il exposa ses peintures avant de mourir d'une attaque d'apoplexie le 30 décembre 1982 – juste six semaines avant son 87ème anniversaire.

De tout temps, les gens taquinaient sans cesse Alberto parce qu'il peignait de belles jeunes femmes. Et sa réponse ne variait jamais. «Qu'y a-t-il de plus beau qu'une belle jeune femme?» Personne n'a

Vargas Girl Signature
Aquarell, Watercolor, Aquarelle, 1950

zogen. Seine Antwort war immer dieselbe: »Was ist schöner als ein schönes Mädchen?« Niemand konnte ihm diese Frage beantworten. Diejenigen, die Alberto kannten, wußten jedoch, daß er immer die innere Schönheit einer Frau zum Vorschein brachte, wenn er sie malte.

Während seiner wechselhaften künstlerischen Karriere widmete er sich zwischen den Aufträgen seiner privaten Bildersammlung, die er als Vermächtnis zurücklassen wollte. Alberto erzählte allen, daß diese privaten Gemälde seine besten seien, da kein Art-Director sich einmischte und er endlich einmal sein eigener Chef war. Sie spiegeln seinen innersten persönlichen Stil wider, und gerade das macht die Sammlung wertvoller als die des *Esquire* und des *Playboy*. Wenn man ein Bild von Vargas betrachtet, ist es unbedeutend, ob man den Meister kannte oder nicht. Die künstlerische Gestaltung spricht für sich selbst, sie erzählt ihre eigene Geschichte der Liebe und des Respekts, den Vargas für Frauen empfand.

tertainment field, and as a result Alberto painted several record album covers. He painted his first for the *Candy'o* album by the Cars, a new wave rock band, and the record was an instant hit. The music was great – but no one can deny that the Vargas Girl on the red Ferrari on the cover helped sales! Elektra Records awarded Alberto two platinum records to mark the two million sales of *Candy'o*. He also did two album covers for actress, singer and Broadway star Bernadette Peters, and went on a short European tour exhibiting his paintings before he died of a stroke on 30 December 1982 – just six weeks short of his 87th birthday.

Over the years, people were always teasing Alberto about painting beautiful girls. And he never changed his reply. "What is more beautiful than a beautiful girl?" No one has ever been able to provide an answer. The few who questioned Alberto further soon realized that when he painted a woman he never failed to bring out her inner beauty.

Throughout Alberto's volatile artistic career, in between assignments, he was devoted to his own private collection of paintings he intended to leave as a legacy. Alberto told everyone that those paintings were his best because he had no interference from any art director and for once he was his own boss. Alberto's private collection truly reflects his innermost personal style, and it is this that makes the collection superior to those of *Esquire* and *Playboy*. Once you have seen a Vargas portrait, it doesn't matter whether you knew the master or not. The artwork speaks for itself, telling its own tale of the love and respect Alberto Vargas had for women.

Vargas Girl Signature
Aquarell, Watercolor, Aquarelle, 1950

jamais été capable de fournir une réponse. Les quelques personnes qui continuèrent à questionner Alberto réalisèrent bientôt que quand il peignait une femme, il ne manquait jamais de mettre en valeur sa beauté intérieure.

Pendant toute sa carrière artistique mouvementée, Alberto se consacra, entre deux commandes, à sa propre collection privée de peintures dont il avait l'intention de faire un legs. Alberto disait à qui voulait l'entendre que ces peintures privées étaient les meilleures parce qu'aucun directeur artistique ne s'était immiscé et que, pour une fois, il était son propre chef. La collection privée d'Alberto reflète fidèlement son style personnel le plus secret, et c'est ce qui rend cette collection supérieure à celles d'*Esquire* et de *Playboy*. Quand on a vu un portrait de Vargas, il importe peu que l'on ait connu ou non le maître. L'œuvre d'art parle d'elle-même, raconte sa propre histoire de l'amour et du respect qu'Alberto Vargas éprouvait pour les femmes.

Miss Santa Claus
Aquarell, Watercolor, Aquarelle, 1941

Alberto Vargas, 1950,
im Atelier in L.A.; in his studio in L.A.; dans son atelier à L.A.

Brunette Holding Mask,
Aquarell, Watercolor, Aquarelle, 1950

THE **20**s

Dragonfly,
Aquarell, Watercolor, Aquarelle, 1922

Spanish Gipsy
Aquarell, Watercolor, Aquarelle, 1928

P. 27–28:
Broadway Showgirl, ca. 1920

Model With Veil
Aquarell, Watercolor, Aquarelle, 1924

Pink Chemise
Aquarell, Watercolor, Aquarelle, 1920

Ziegfeld Girl
Aquarell, Watercolor, Aquarelle, 1923

Boudoir Girl, 1924
24″ × 38″

P. 32–33:
Fleurs Du Mal, 1920

Redhead With Fur
Aquarell, Watercolor, Aquarelle, 1929

Smoke Dreams, 1927
22″ × 26″

Nita Naldi, 1923

Beauty And The Beast, 1925
20″ × 30″

Helen McCarthy, 1926
14″ × 18″

Aquarell, Watercolor, Aquarelle, 1920

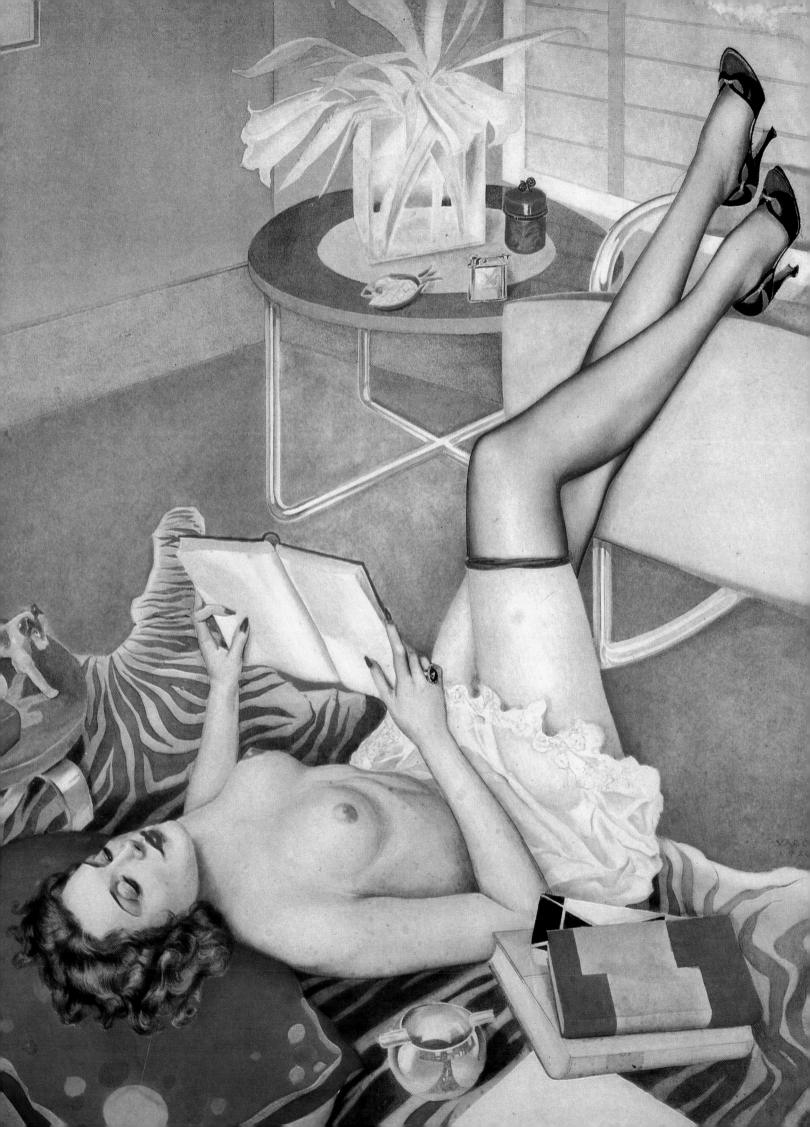

THE 30s

Grey and Red, Anna Mae, 1932

American Venus, 1937
18″ × 29″, Aquarell, Watercolor, Aquarelle

P. 42–43:
Diana The Huntress, 1929
26″ × 38″

Two Cats, Ann Sheridan
Aquarell, Watercolor, Aquarelle, 1939

Marlene Dietrich, 1932

Black Notes, 1936
22″ × 28″

Martini Time, 1934
22″ × 28″

Moonlight Eclipse, 1932
Pastell, Pastel

Anna Sten, 1933
Pastell, Pastel

THE 40s

P. 52–53:
Ava Gardner, 1949
22″ × 30″, Aquarell, Watercolor, Aquarelle

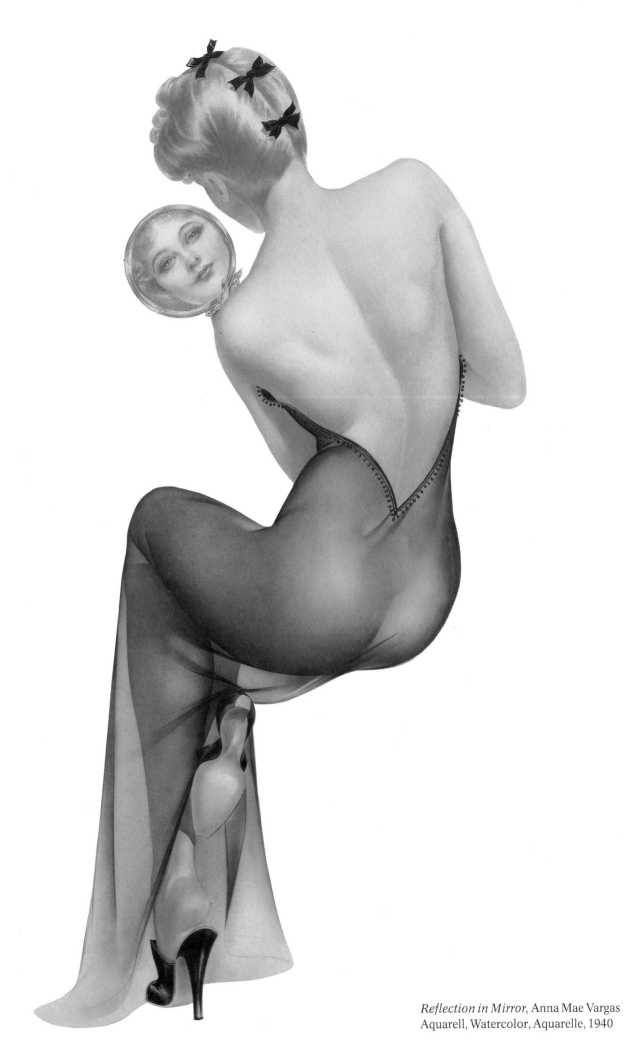

Reflection in Mirror, Anna Mae Vargas
Aquarell, Watercolor, Aquarelle, 1940

Comprehensive Jergens Powder Box, 1943

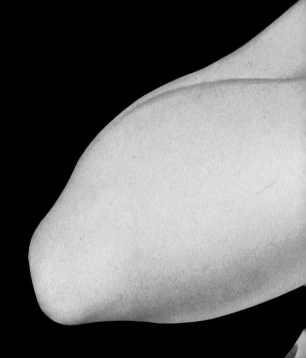

Jane Russell, 1942

Sleeping Beauty, Legacy I, 1949

ca. 1948–50

Red Queen, 1954
Aquarell, Watercolor, Aquarelle, 1950

ca. 1948–50

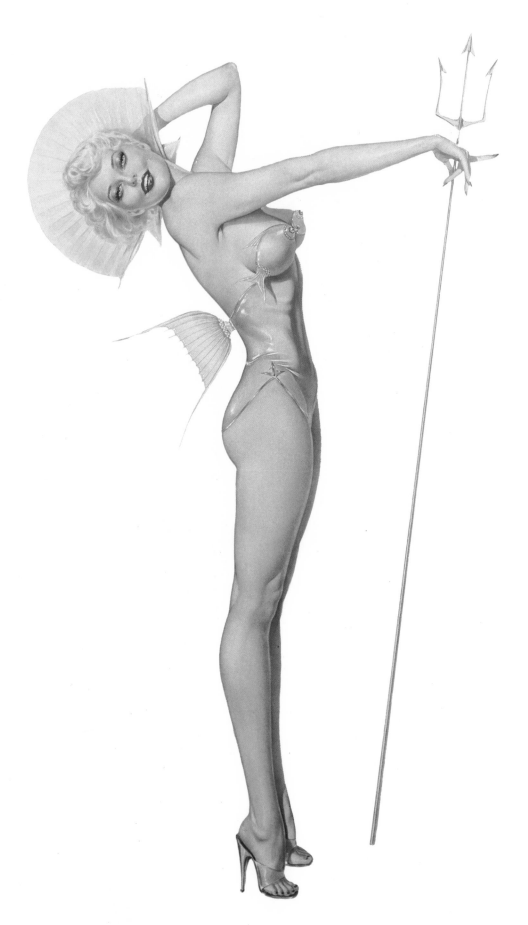

ca. 1948–50

Miss Universe, 1948, 27″ × 36″

ca. 1949–50

63

THE 50s

P. 64–65:
Aquarell, Watercolor, Aquarelle, 1948–50

ca. 1950

ca. 1950

ca. 1950

ca. 1950

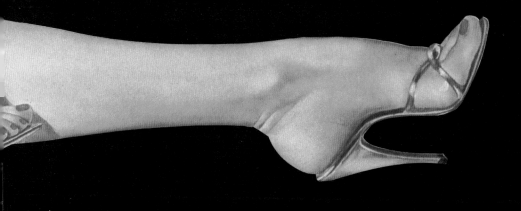

Gold Carnation, Legacy
Aquarell, Watercolor, Aquarelle, 1950

Aquarell, Watercolor, Aquarelle, 1955

Aquarell, Watercolor, Aquarelle, 1950

Aquarell, Watercolor, Aquarelle, ca. 1950

Aquarell, Watercolor, Aquarelle, 1950

Cordillera de los Andes, Legacy, 1950

Aquarell, Watercolor, Aquarelle, 1950

Ivory And Black
Aquarell, Watercolor, Aquarelle, 1950

ca. 1950

ca. 1950

En Garde, Marilyn Monroe, ca. 1957
15″ × 20″

Danksagung-Acknowledgements-Remerciements
Astrid Vargas-Conte, Los Angeles
Astrid Rossana-Conte, Los Angeles
Jay Silverman, Hollywood